여기 저기 써먹는

일상 한국어

머리말

책 소개

한국의 가치가 높아지면서, 한국어를 배우고자 하는 이들이 많아지고 있습니다. 가천대학교에도 많은 외국인 유학생이 재학 중입니다. 저희는 다양한 외국인 유학생과의 만남을 통해, 그들의 현실에 직면하게 되었습니다. 바로 '반말과 존댓말 구분의 어려움', '대학생을 기준으로 한 현실적인 회화서의 부재', '한국어로만 이뤄진 설명으로 인한 이해력 저하' 등의 문제를 포착하였습니다.

이에, '너울이랑'은 또래 친구와 나눌 수 있는 가벼운 주제의 회화서를 통해, '소통의 기회'를 만들어 보고자 합니다. 요즘, 20대 대학생의 대화 패턴 분석을 통해 <여기저기 써먹는 일상 한국어>를 제작했습니다. 대학생들이 자주 사용하는 단어와 현실적인 대화문을 통해, 단어를 학습하고 맥락을 이해할 수 있도록 기획하였습니다. 장소와 상황별로 3개의 대주제를 나누고 20개의 소주제에 맞는 대화문을 만들어 보았습니다. 구어적인 표현이나, 대학생들끼리 사용하는 단어를 뽑아내어 제작한 '현실적인 공감 회화서'. 더불어, 한국 문화에 대해 알 수 있는 다양한 '꿀팁'까지 알차게 담아냈습니다. 유학생의 관점에서 고민하고 만들어낸 그 인고의 시간과 노력이 여러분께 닿길 바랍니다. 한국에서 여러분의 대학 생활이 20대의 그 어느 순간보다 찬란히 빛나길 바라며,

'너울이랑' 올림

삽화 디자인에 참여해주신 박서연, 박초희 학우분께 감사합니다.

[여기저기 써먹는 비법 공개!]

이야기 훑어보기

귀여운 그림과 함께 한국 대학생들이 자주 사용하는 표현을 익혀 보세요!

에피소드 미리 보기

대화문의 핵심 문장을 미리 살펴보세요!

확장문 읽어보기

대화문에서 확장된 표현을 통해, 한국 대학생들이 실제로 사용하는 문장을 익혀 보세요!

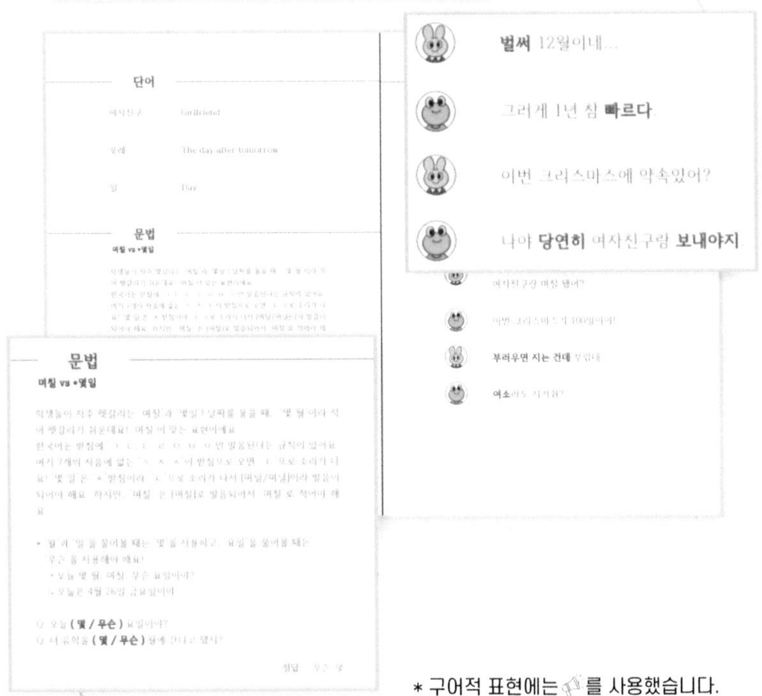

* 구어적 표현에는 를 사용했습니다.

중요한 문법 표현

대화문 속에 있는 문법을 공부하고, 문법을 활용해 주어진 빈칸을 채워보세요!

생활에 적용하기
구리와 토리의 대화를 통해
앞서 배운 내용을 적용해 보세요!

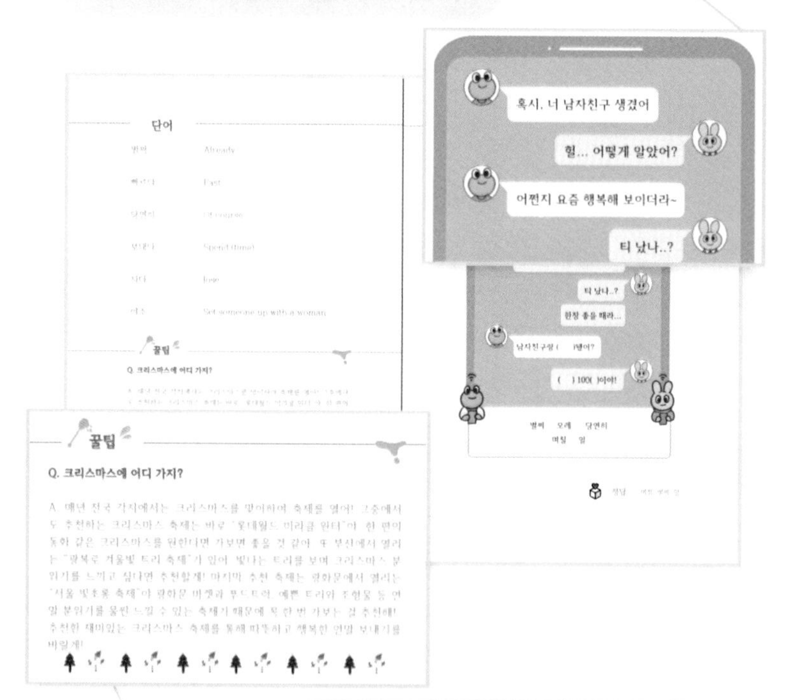

문화 꿀팁 읽기
문화 꿀팁 속 한국 문화를 통해
재밌는 한국에 퐁당! 빠져 보세요!

체크 박스 활용하기
아직 외우지 못한 단어에는
체크 표시를 해 두고 복습해 보세요!

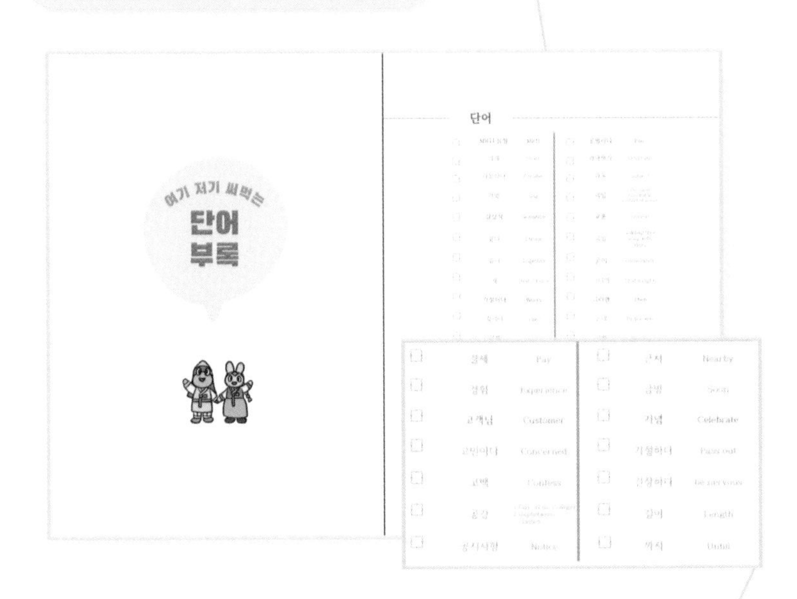

한 눈에 보는 단어 부록
사전에 검색할 필요가 없는 깔끔한 단어 정리!
대화문과 확장문에 있는 모든 단어를 담았어요.

목차

학교 편

친구 편

가게 편

단어 부록

EP
01

몇 학번이세요?

What is your class number?

이야기 01

혹시 몇 학번이세요?

By any chance...
What is your class number?

저는 17학번이에요.

My class number is 17.

단어

혹시
[hoksi]
By any chance

몇
[myeot]
What

학번
[hakbeon]
Class number (ID number)

문법

이에요

'이에요'는 '이다'와 '에요'가 만나서 만들어진 단어예요. 명사에 받침이 있으면, '이에요'! 받침이 없으면 '예요'를 사용해요! '이에요'의 반대말은 '아니에요'라고 해요.

ex) 혹시 중국 사람이에요?
이 사람은 저의 친한 친구예요.
저 가방은 제 것이 아니에요.

Q. 몇 살 (**이에요 / 예요**)?
Q. 한국어문학과 강의실이 어디 (**이에요 / 예요**)?
Q. 제가 좋아하는 가수는 BTS (**이에요 / 예요**).
Q. 그 책은 제 것이 (**이에요 / 아니에요**).

정답 이에요, 예요, 예요, 아니에요

확장문

혹시 몇 학번이세요?

저는 17학번이에요.

헉, **선배님**! 저는 21학번이에요.
말 편하게 해주세요.

그래. 너도 편하게 해.
근데 21학번이면, 3학년이야?

아니요, **휴학하고** 와서 아직 2학년이에요.

아~ 휴학하면서 **뭐 했어?**

친구들이랑 **여기저기 여행 다녔어요**.

재밌었겠다.

단어

선배님 [seonbaenim]	People who got into the same school early
말(을) 편하게 하다 [mal(eul) pyeonhage hada]	Speak without honorific
근데 [geunde]	By the way
뭐 했어? [mwo haesseo?]	What did you do?
친구 [chingu]	Friend
여기저기 [yeogijeogi]	Here and there
여행 다니다 [yeohaen danida]	Travel

꿀팁

Q. 나는 14학번이야. 말 편하게 해!

A. "말 편하게 해!" 라는 말을 들으면 어떤 느낌이 들어?
한국에서는 학번을 통해서 위계질서를 확인하고, 보통 선배가 후배에게 말을 편하게 하라는 말을 자주 해. 말을 편하게 한다는 것은 몸이 편한 채로 말을 한다는 것이 아니라, 반말로 말을 해도 된다는 것을 의미해! 만약 선배나 후배에게 그런 말을 들었다면, 말을 편하게 해서 더욱 가까워진 관계가 되기를 바랄게!

응용문

정답 편하게, 학번, 혹시

EP 02

여기 자리 있어요?

Is this seat taken?

이야기 02

저기요, 여기 자리 있어요?

Excuse me. Is this seat taken?

네. 제 친구 자리예요.

Yes. It's my friend's seat.

단어

저기요
[jeogiyo]
Excuse me

여기
[yeogi]
Here

자리
[jari]
Seat

제
[je]
My

문법

-아/어요

'-아/어요'는 어떤 상황을 설명해서 알릴 때 사용해요! 앞에 오는 동사나 형용사의 '모음'에 따라 형태가 달라져요. 'ㅏ/ㅗ'인 모음이 오면 '-아요'를 사용해요. 'ㅏ/ㅗ'가 아닌 모음이 오면 '-어요'를 사용해요.

* 'ㅏ/ㅗ'인 모음

받침이 있을 때	맞다 : 맞 - + -아요 → 맞아요
받침이 없을 때	오다 : 오 - + -아요 → 와요

* 'ㅏ/ㅗ'가 아닌 모음

받침이 있을 때	싫다 : 싫- + -어요 → 싫어요
받침이 없을 때	두다 : 두- + -어요 → 두어요

확장문

여기 자리 있어요?

네. 제 친구 자리예요.

죄송합니다.
가방이 없길래 **비어** 있는 줄 알았어요.

아니에요. 제 **오른쪽**에는 앉으셔도 돼요.

감사합니다.
늦게 왔더니 빈 자리가 많이 없네요.

그러게요, 오늘 첫 날이라서 그런 것 같아요.

이 **과목 어렵다**고 해서 걱정이에요.

같이 **힘내봐요**, **과탑** 한 번 찍어야죠!

단어

가방 [gabang]	Bag
비다 [bida]	Empty
오른쪽 [oreunjjok]	Right
늦다 [neutda]	Late
과목 [gwamok]	Bag
어렵다 [eoryeopda]	Difficult
힘내다 [himnaeda]	Cheer up
과탑 [gwatap]	The most honorable student of major

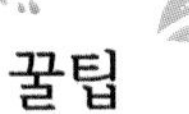

꿀팁

Q. 자리가 있는 거야, 없는 거야 ;;

A. 보통은 자리가 있는지 없는지 물어볼 때, "여기 자리 있어요?"라고 물어봐. 이는 내가 앉을 수 있는지의 의미도 가능하고, 누군가 자리를 차지하고 있는지를 물어보는 의미도 가능해서 헷갈릴 수 있어. "자리 있어요."라는 말은 중의적인 의미를 담고 있다는 거 명심해!

응용문

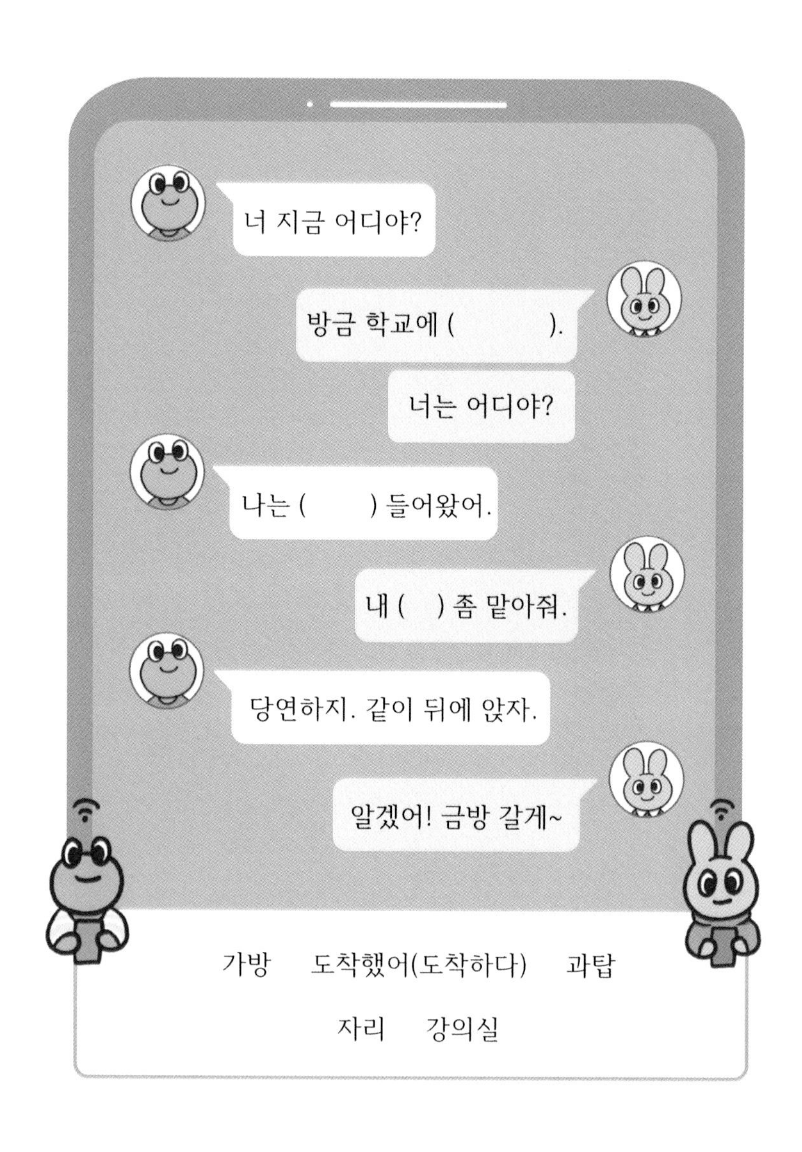

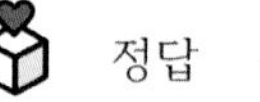

정답   도착했어, 강의실, 자리

EP
03

공강이 언제야?

When is your day off?

이야기 03

너 **공강**이 **언제**야?

When is your day off?

나 이번에 **수강 신청 성공**해서,
금공강이야.

I successfully registered for courses, so Friday's off.

단어

공강
[gonggang]
1. Day off (in college)
2. Gap between classes

언제
[eonje]
When

수강 신청
[sugang sincheong]
Course registeration

성공하다
[seonggonghada]
Success

문법

-하여서

'-해서'는 '-하여서'가 줄어든 말이에요! '하여서'는 '하다'와 '-여서'가 합쳐진 것이에요. '하다'가 아닌 동사와 형용사들은 '-아/어서'를 쓴답니다. '-아/어서'는 앞에 오는 동사나 형용사의 모음에 따라 형태가 달라져요. 'ㅏ/ㅗ'인 모음이 오면 '-아서'를 사용하고, 'ㅏ/ㅗ'가 아닌 모음이 오면 '어서'를 사용해요. '하여서'의 앞의 내용은 이유를, 뒤의 내용은 결과를 나타내요. 평소 '-하여서'보다는 '-해서'를 더 자주 사용한답니다!
비슷한 표현으로, 친구와 대화할 때는 '-어 가지고/구'라는 표현을 많이 사용해요!

ex) 그 선배를 좋아해서 고백했어. 과제가 너무 많아가지구 밤새웠어.

Q. 어제 개강 (**해서 / 했어**) 너무 피곤 (**해서 / 했어**).
Q. 너무 뚱뚱 (**해서 / 했어**) 다이어트 (**해서 / 했어**)

정답 해서, 했어, 해서, 했어

확장문

구리야, 너 공강이 언제야?

나 이번 학기 수강 신청 성공해서,
금공강이야!

너무 **부럽다**.
나는 수강 신청 **실패**해서 공강이 없어.

그럼 매일 학교 나와야 해?

맞아!
학교 **온 김에** 뭐라도 하고 싶은데,
어떤 걸 할지 **고민이야**.

그럼,
우리 사진 동아리에 들어오는 건 어때?

혹시 사진 잘 못 찍어도 들어갈 수 있어?

당연하지! 수업 끝나고 **남은** 시간에 같이
활동하면 재밌을 것 같아!

단어

부럽다
[bureopda]
Envy

실패
[silpae]
Failure

-하(가)는 김에
[ha(ga)neun gime]
While you are at it

고민이다
[gominida]
Concerned

동아리
[dongari]
Club

당연하지
[dangyeonhaji]
Of course

(시간이) 남다
[(sigani) namda]
Be left

활동하다
[hwaldonghada]
Work

꿀팁

Q. 우주공강 보다는 금공강이지!

A. 우주공강은 수업과 수업 사이에 비어있는 "거대한 우주" 같은 시간을 의미해! 또 다른 의미는 요일 자체가 비어있는 공강이야. 학생들은 보통 휴일을 연장할 수 있는 월공강이나 금공강을 선호하는 편이야!:)

응용문

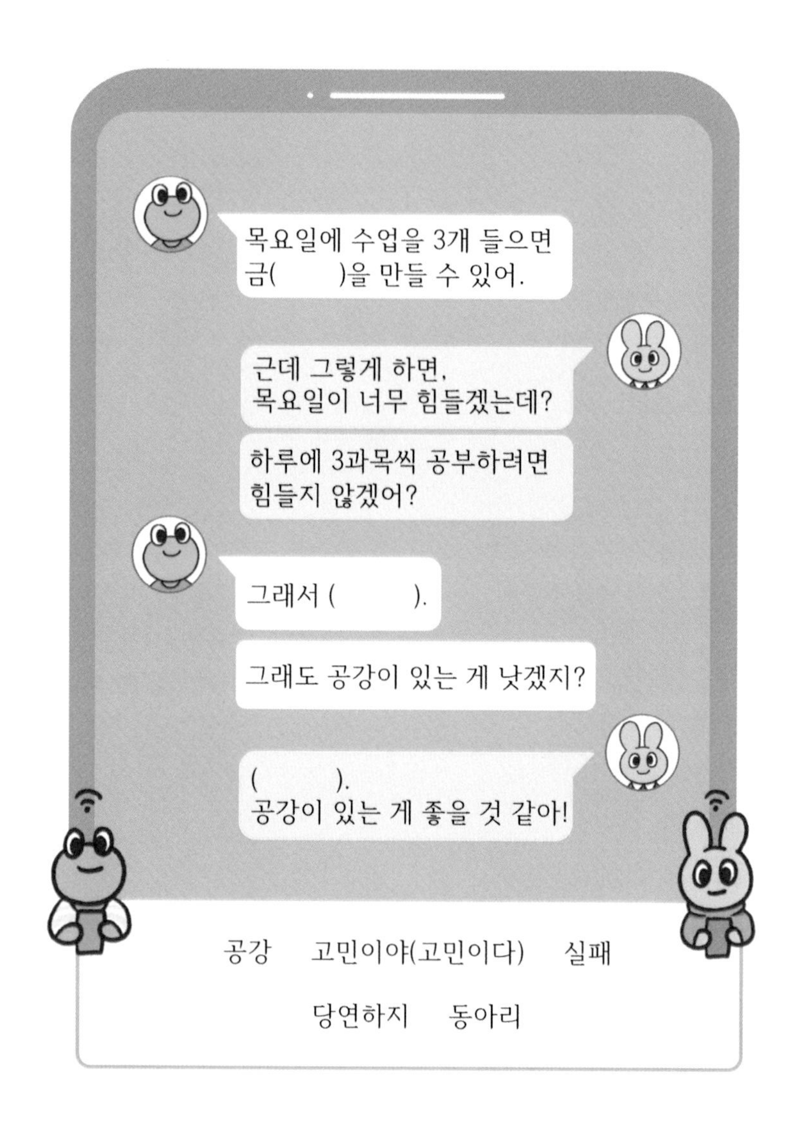

 정답 공강, 고민이야, 당연하지

EP
04

이번 학기에 팀플 있어?

Do you have a team project this
semester?

이야기 04

너 **이번** 학기에 **팀플** 있어?

Do you have a team project this semester?

나 **모든 수업**에 팀플이 있어.

I have a team project in every class.

단어

이번
[ibeon]
This

팀플
[timpeul]
Team project

모든
[modeun]
All

수업
[sueop]
Class

문법

-(으)ㄹ 줄 알다/모르다

'-(으)ㄹ 줄 알다/모르다'는 어떤 일을 하는 방법에 대해 알고 있거나, 모르고 있을 때 사용해요! 앞에 오는 동사나 형용사의 받침이 있으면, '-을 줄 알다/모르다'! 받침이 없으면 '-ㄹ 줄 알다/모르다'라고 써요!
* 비슷한 단어로는 '-을 수 있다/없다'가 있어요. 타고난 능력이나 배워서 익힌 능력 등 다양한 상황에서 사용하는 단어에요!

ex) 역시 너는 공부를 잘할 줄 알았어!
시험 문제를 다섯 개나 틀릴 줄 몰랐어.

Q. 네가 이번에 실수를 많이 해서 선생님께 혼날 줄 **(알았어 / 몰랐어)**.
Q. 자연이는 나이가 어린 줄 알았는데, 22살이나 된 줄 **(알았어 / 몰랐어)**.

정답 알았어, 몰랐어

확장문

나 이번에 팀플 몇 **개**인 줄 알아?
무려 3개야!

뭐 그 정도 가지고 그러냐.
난 모든 수업이 팀플이라고...

엥? 너 이번에 팀플 있었어?

나 진짜 **하루 종일** 팀플 회의만 하고 있어.

무슨 그런 **무모한 짓**을 한 거야.

나는 내가 할 수 있을 줄 알았지...
나를 너무 **과대평가**했나 봐.

앞으로 수강 신청할 때,
조금 더 **신중해야** 할 것 같아!

나도 이번에 **교훈**을 얻었다...
좋은 **경험**이 될 거라 믿어.

단어

-개
[gae]
Unit / Piece

하루 종일
[harujongil]
All day

무모한
[mumohan]
Reckless

-짓
[jit]
Act

과대평가
[gwadaepyeongga]
Overrate

신중하다
[sinjunghada]
Prudence

교훈
[gyohun]
Lesson

경험
[gyeongheom]
Experience

꿀팁

Q. 팀플 빌런(악마)가 되고 싶지 않다면?

A. 팀플은 "팀 프로젝트"의 줄인 말로, 혼자가 아닌 팀으로 여러 명이 함께 과제를 하는 것을 의미해. 한국 대학생들은 팀플을 사회의 악으로 생각하는데, 곳곳에 팀플 빌런이 숨어 있기 때문이야! 우리 모두 팀플 빌런이 되고 싶지 않다면, 서로를 위해서 조금 더 노력하는 모습이 필요해!

응용문

이번 수강 신청은 잘했어?
저번에 (   )을 얻었잖아.
아니...
사람은 같은 실수를 반복하잖아.
이번 (   )은 몇 개인데 그래?
무려 5(   )나 있어...ㅠㅠ
헐, 저번보다 더 많네!!
교훈 과대평가 개
팀플 경험

정답 교훈, 팀플, 개

EP
05

내년에 같이 재수강하자!

Let's retake it together next year!

이야기 05

이번 기말시험 점수 진짜 **처참하다**. 어떡하지?

My final exam score is really horrible. What should I do?

나도 **마찬가지**야.
내년에 같이 **재수강**하자!

Me neither.
Let's retake it together next year!

단어

처참하다
[cheochamhada]
Horrible

마찬가지
[machangaji]
Neither

재수강
[jaesugang]
Retake

문법

어떡하지 vs *어떻하지

'어떡하다'는 '어떠하게 하다'가 줄어든 말이에요. 가끔 '어떻하다'라고 쓰는 경우가 있는데, 이것은 틀린 맞춤법이에요! '어떻다'는 '어떠하다'가 줄어든 말이에요. 먼저, '어떠하다'와 '-게 하다'가 만나 '어떠하게 하다'가 만들어지고! '어떠하게 하다'가 '어떡하다'로 줄어든 것이죠!

어떻다 → 어떠하다
↳ [어떠하다 + -게 하다] 어떠하게 하다 → 어떡하다

*** 자주 헷갈리는 '어떻게 vs 어떡해'**
'어떻게'는 '부사'이고, '어떡해'는 '형용사'예요! '어떻게'는 뒤에 오는 단어를 꾸며줄 수 있고, '어떡해'는 꾸며줄 수 없어요!

Q. 내 과자를 먹으면 (**어떻게 / 어떡해**)!
Q. 오랜만이다. (**어떻게 / 어떡해**) 지내?
Q. 이렇게 늦으면 (**어떻게 / 어떡해**)! 1시간이나 기다렸잖아.

정답 어떡해, 어떻게, 어떡해

확장문

오늘 **시험** 점수 나왔는데, 확인해 봤어?

응. 아까 확인했는데,
점수가 진짜 심각하더라.

그니까.
우리 같이 도서관도 가고,
심지어 밤도 샜잖아.

맞아. 그래서 더 **억울해**.

이 과목 **전필**인데, 재수강해야겠지?

나도 마찬가지야.
내년에 같이 재수강하자!

좋아. 우리 진짜 **한 배를 탔네**!

우리 재수강할 때는 잘해보자!

단어

시험(을 보다) [siheom(eul boda)]	Take (an exam)
심각하다 [simgakada]	Serious
그니까 [geunikka]	That's right.
심지어 [simjieo]	Even
억울하다 [eogulhada]	Unfair
전필 [jeonpil]	Mandatory class
동지 [dongji]	Companion

꿀팁

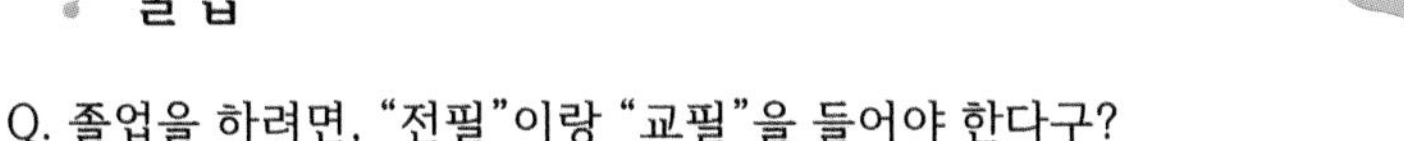

Q. 졸업을 하려면, "전필"이랑 "교필"을 들어야 한다구?

A. 졸업을 하기 위해서 필수적으로 들어야 할 과목이 있다는 것, 알고 있어? 전필, 교필은 대학 생활에서 자주 사용하는 단어들이야!! 전필은 '전공필수', 교필은 '교양 필수'의 줄임말로, 이 두 과목 모두 졸업을 하기 위해서는 필수적으로 들어야만 하는 과목들이지. 만약 필수가 들어간 과목을 수강하지 않는다면, 학점을 다 채웠음에도 불구하고 졸업이 안 될 수도 있어! 본인이 채워야 하는 졸업 요건에서 필수적으로 들어야 하는 전필과 교필을 꼭 기억하고 수강 신청에 성공해서 성공적으로 졸업하기를 응원할게 :)

응용문

 정답 시험, 재수강, 억울해

EP
06

내일 휴강이래!

They're canceling classes
tomorrow!

이야기 06

구리야, **공지사항** 봤어?
내일 휴강이래!

Gury! Did you see the notice?
They're canceling classes tomorrow!

정말? 내일 수업 없대?

Really? No class tomorrow?

단어

공지사항
[gongjisahang]
Notice

내일
[naeil]
Tomorrow

휴강
[hyugang]
Cancel a class

문법

-은/는대(요)

'-은/는대(요)'는 '-는다고 해(요)'가 줄어든 말이에요! 앞에 오는 동사의 받침이 있으면, '-는대(요)'! 받침이 없으면 '-ㄴ대(요)'를 사용해요. 앞에 형용사가 오면 '-대(요)'를 사용해야 해요! 다른 사람에게 들은 말을 전할 때도 쓰고, 자신이 들은 내용에 관해 물어볼 때도 써요.

ex) (전달할 때) 현진이가 고양이를 두 마리나 키운대.
(물어볼 때) 그림을 그리기가 싫대?

-는대 vs -데/-더라

'-데/-더라'는 스스로 경험해서 알게 된 내용을 전할 때 사용해요!

Q. 그 집 떡볶이가 진짜 맛있 (**대 / 데**).
↳ 맞아, 얼마 전에 먹었는데 진짜 맛있더라!
Q. 어제 내가 만든 떡볶이가 진짜 맛있 (**대 / 데**).
↳ 진짜? 맛있었겠다. 나도 만들어 줘!

정답 대, 데

확장문

아까 공지 사항 봤어?
내일 휴강이래!

그럼, 내일 수업 없대?

응! 교수님 **출장** 가신대!

앗싸!
나 그럼 내일 수업 하나도 없다!

마침 나도 수업 없는데,
우리 놀러 갈까?

너무 좋지!
평소에 가고 싶은 곳 있었어?

나 경복궁 가보고 싶었어!

오 좋다!
경복궁 가서 한복 **입고 놀자**!

단어

아까 [akka]	A little while ago
출장 [chuljang]	Business trip
앗싸 [atssa]	Yay
마침 [machim]	Just
평소 [pyeongso]	Usual day
입다 [ipda]	Wear
놀다 [nolda]	Play

꿀팁

Q. 경복궁에 한복을 입고 가면...!

A. 경복궁에 한복을 입고 가면, 입장료가 무료라는 사실을 알고 있어?!?! 매월 마지막 주 수요일에 방문하거나, 한복을 입은 사람은 경복궁을 무료로 관람할 수 있어! 경복궁은 특히나 외국인들이 많이 찾는 관광지 중 하나인데, 한복을 대여할 수 있는 곳도 많아서 한복을 입고 오는 외국인도 많이 볼 수 있어. 만약 한국의 역사가 담긴 궁궐에 한국의 전통 의상인 한복을 입고 가면 얼마나 아름다울지 궁금하다면! 무료로 한국의 궁궐을 감상할 수 있는 좋은 기회를 꼭 누려보면 좋을 것 같아!

응용문

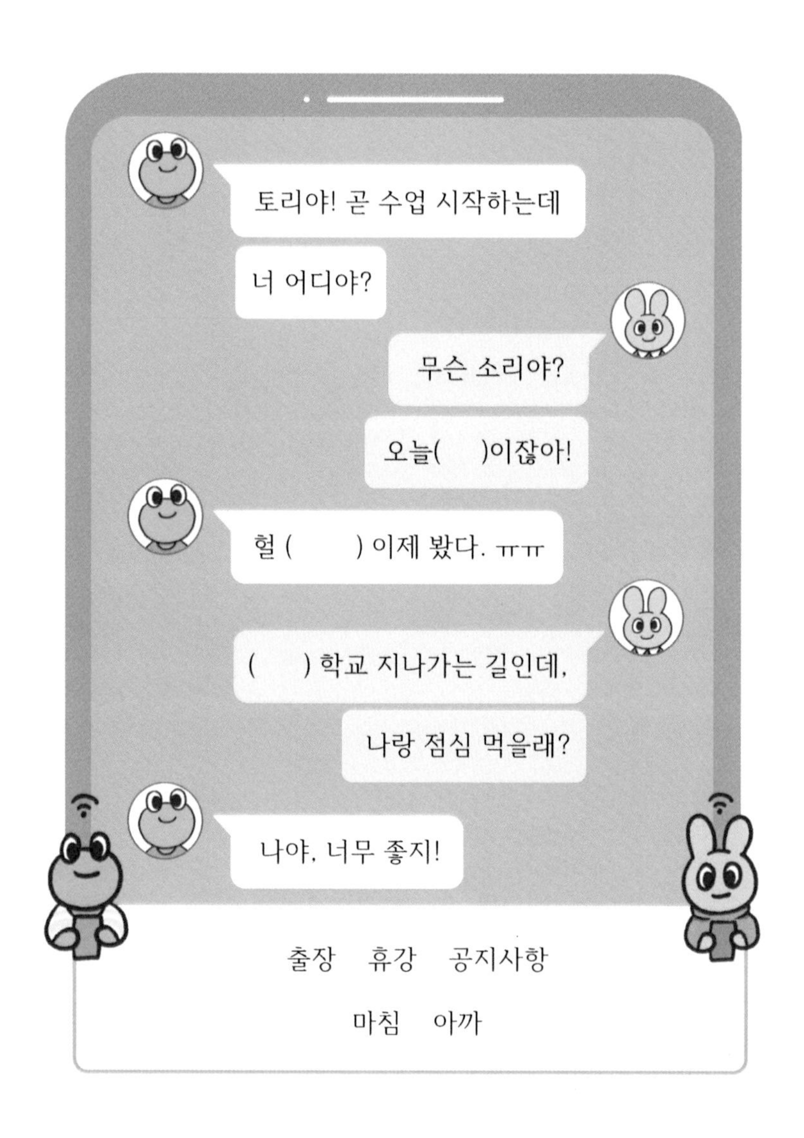

정답　휴강, 공지사항, 마침

EP
07

단톡에 보내줄게.

I'll send it to group chat.

이야기 07

9시까지 **발표 대본 보내줄래**?

Can you send me the transcript of presentation by 9 p.m.?

응. **단톡**에 보내줄게.

I'll send it to group chat.

단어

발표
[balpyo]
Presentation

대본
[daebon]
Transcript

-에게 보내다
[ege bonaeda]
Send

단톡
[dantok]
Group chat

문법

-을래(요)

'-을래(요)'는 자기 생각을 말하거나, 다른 사람의 생각을 물어볼 때 사용해요! 앞에 오는 동사나 형용사의 받침이 있으면, '-을래(요)'! 받침이 없으면 '-ㄹ래(요)'라고 써요. 듣는 사람이 자신보다 나이가 많을 경우, '-을래요'가 아닌 '-(으)시겠습니까'라고 말해야 해요! 단, 자신보다 나이가 많지만 친한 사이라면 사용해도 좋아요!

Q. 고객님, 어떤 걸 주문하 (**ㄹ래(요) / 시겠습니까**)?
Q. 우리 점심 뭐 먹 (**을래(요) / (으)시겠습니까**)?
Q. 선배! 저희랑 같이 놀러 가 (**ㄹ래(요) / 시겠습니까**)?

정답 시겠습니까, 을래요, ㄹ래(요)

확장문

PPT는 교수님 메일로 보냈어.
내일 발표만 하면 팀플도 끝이다!

고생했어. 자료 조사도 꼼꼼히 해서
높은 점수 받을 수 있을 것 같아.

응. 역할 **분담**해서 하니까 빨리 끝낼 수 있었어.

열심히 준비했는데,
내일 발표를 **망칠까봐 걱정이야.**

너무 **긴장하지** 마. 발표 대본은 다 썼어?

아니, 쓰고 있어. 오늘 저녁에 보고 **수정할 부분 알려줄** 수 있어?

당연하지. 저녁 9시까지 보내줄래?

응. 단톡에 보내줄게.

단어

분담 [bundam]	Split
망치다 [mangchida]	Mess up
걱정하다 [geokjeonghada]	Worry
긴장하다 [ginjanghada]	Be nervous
수정하다 [sujeonghada]	Correct
부분 [bubun]	Part
알려주다 [allyeojuda]	Let somebody know

꿀팁

Q. 카톡? 단톡? 뭐가 다른 거야!

A. 카톡은 알겠는데, 단톡은 도대체 뭔지 궁금했다면, 쉽게 알려줄게!
카카오톡의 줄임말인 카톡은 한국에서 주로 쓰이는 소통 서비스야. 단톡은 '단체 카카오톡 방'의 줄임말로, 나 포함 3명 이상이 모여 있는 채팅방을 나타내는 말이지. 단어가 비슷해서 헷갈릴 수는 있지만, 단톡은 대학 생활에서뿐만 아니라 단체 생활이라면! 자주 쓰이는 용어이니 알아두는 것이 좋을 것 같아 :)

응용문

 정답 발표, 걱정, 단톡

EP 08

통학하는 데 얼마나 걸려?

How long does is take to commute to school?

이야기 08

혹시 **통학**하는 데 **얼마나 걸려**?

How long does is take to commute to school?

지하철로 1시간 40분이나 걸려!

It takes about an hour and 40 minutes by subway!

단어

통학
[tonghak]
Commute to school

얼마나
[eolmana]
How long

걸리다
[geollida]
Take

문법

-(이)나

-(이)나'는 어떤 것의 수량이나 정도가 스스로 기대하고 생각한 것보다 많은 것을 나타내요. 앞에 오는 단어의 받침이 있으면, '-(이)나'! 받침이 없으면, '-나'를 사용해요! 스스로 기대하고 생각한 것보다 그 양이 적을 때는 반대말인 '-밖에'를 사용해요.

ex) 내일이 시험인데, 일곱 시간이나 자 버렸어. (시간)
강의실에서 연필을 다섯 자루나 주웠대. (개수)
집에서 학교까지 15분밖에 안 걸려. (시간)

Q. 동물원에는 판다가 다섯 마리 (**이나 / 나**) 있다.
Q. 가게에서 옷을 여섯 벌 (**이나 / 나**) 샀어?
Q. 책을 아직 한 장 (**이나 / 밖에**) 못 읽었다.

정답 나, 이나, 밖에

확장문

우리 조별 과제 할 때 어디서 **만날까**?

학교에서 만나는 게 제일 좋을 것 같아.

헐, 완전 **속 보인다**.
너 기숙사 살아서 그렇지?

아니거든! 너도 **금방** 도착하잖아.
너는 통학하는 데 얼마나 걸려?

금방이라니, 나 1시간 40분이나 걸려.
피곤해서 죽을 것 같아.

아 진짜 ? 나는 20분이면 도착하는 줄 알았어.

괜찮아, 그럴 수 있지.
그러면 공평하게 우리의 중간 지점에서 보자.

단어

만나다 (보다) [mannada]	Meet
헐 [heol]	OMG / What the...
속 보이다 [sok boida]	You are transparent
금방 [geumbang]	Soon
피곤해서 죽을 것 같다 [pigonhaeseo jugeul geot gatda]	Tired to death
그러면 [geureomyeon]	Then
공평하다 [gongpyeonghada]	Fair

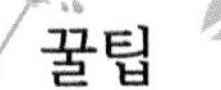

꿀팁

Q. 통학러의 힘듦을 알아?

A. '통학'은 대중교통을 이용하여 학교를 다니는 것을 의미해. '통학러'는 대중교통을 이용하여 학교를 다니는 학생을 의미하지. 지하철, 버스 등 이용하는 교통수단의 종류와 교통비, 환승 여부처럼 통학을 하기 위해 필요한 요소에 차이는 있지만, 이동 시간이 많다는 것에서 이미 통학러는 체력을 빼앗기고 학교에 오는 동시에 녹초가 되곤 해!

응용문

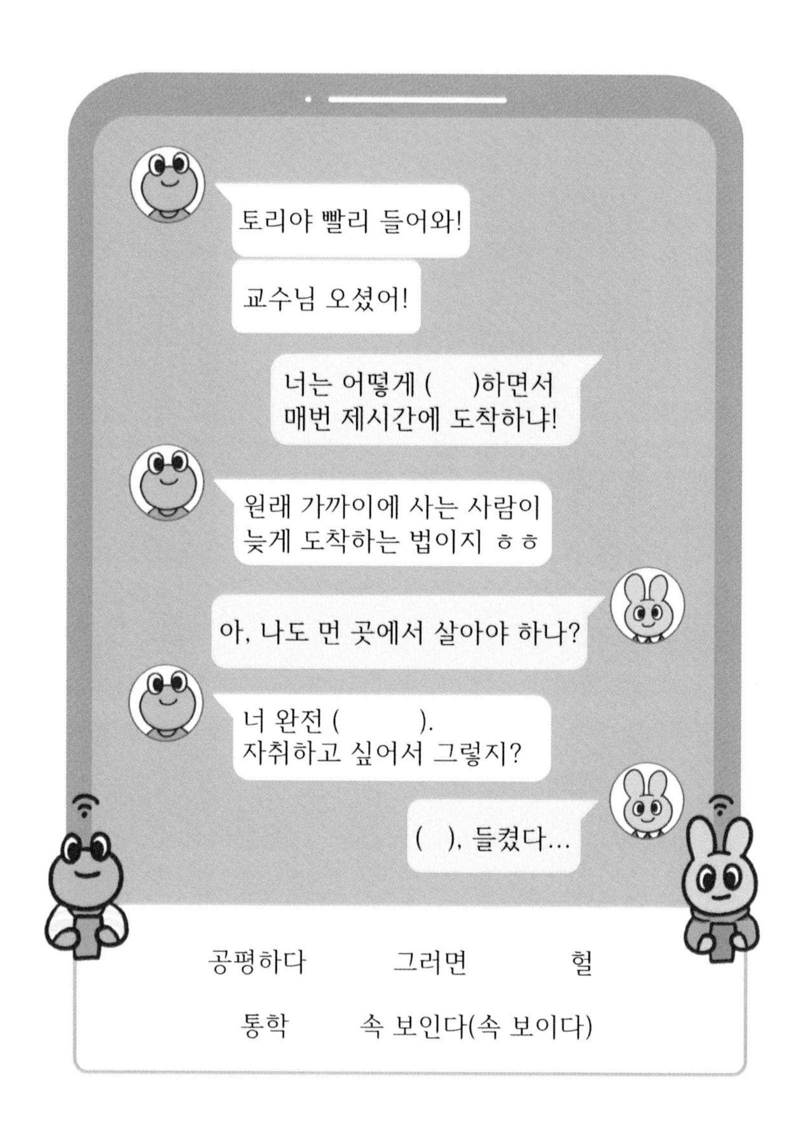

정답 통학, 속 보인다, 헐

EP 09

너 MBTI 유형이 뭐야?

What is your MBTI?

이야기 09

너 MBTI 유형이 뭐야?

What is your MBTI?

나는 INFJ야. F는 **감성적**이래.

I'm INFJ.
They say F is sensitive.

단어

MBTI 유형
[mbti yuhyeong]
MBTI

뭐야?
[mwoya]
What?

감성적
[gamseongjeok]
Sensitive

문법

-(으)래(요)

'-(으)래(요)'는 '-(으)라고 해(요)'가 줄어든 단어예요. 다른 사람이 하라고 시킨 내(=명령)을 전할 때 사용해요! 앞에 오는 동시에 받침이 있으면, '-(으)래(요)'! 받침이 없으면, '-래(요)'를 사용해요! 하지만 'ㄹ'이 오는 경우, 받침이 없이 사용하는 것과 같이 '-래(요)를 쓴답니다!

ex) 밥 먹고 약을 먹으래.
이름과 학번을 쓰래.
아무것도 만지지 말래.

Q. 핸드폰을 가방에 넣 (**으래 / 래**).
Q. 교수님이 과제 언제까지 제출하 (**으래 / 래**)?
↳ 이번 주 금요일까지 내 (**으래 / 래**).

정답 으래, 래, 래

확장문

까~ 이 **인형** 엄청 귀여운 것 **같아**.
살까? 어때?

음... 그 인형이 진짜 **필요해?**
굳이 사야 돼?

아니 귀엽잖아! 너, T야?

뭐야, **어떻게** 알았어?

어쩐지...
T의 성격이 **이성적**이고 **무뚝뚝하대**~

아 그래? 너는 MBTI가 뭐야?

나는 INFJ야~ F는 감성적이래.

오 그렇구나~ 나랑 다른 면이 있네!

단어

인형 [inhyeong]	Doll
같다 (-라고 생각하다) [gatda]	I think
필요하다 [piryohada]	Need
굳이 [guji]	Obstinately
어떻게 [eotteoke]	How
어쩐지 [eojjeonji]	No wonder
이성적 [iseongjeok]	Rational
무뚝뚝하다 [muttukttukada]	Brusque

꿀팁

Q. 한국은 지금 MBTI 열풍?!?

A. 한국에서 MBTI는 그야말로 일상 그 자체라고 할 수 있어. 처음 알게 된 사람에게 말문을 트기 위해 MBTI 유형을 물어보거나, MBTI와 관련된 밈(우울해서 빵 샀어, T발 C야?)이 생성되는 등 여러 상황에서 MBTI를 사용하고 있다고 할 수 있지.

응용문

정답 MBTI, 어쩐지, 어때

EP
10

나 너 좋아해.

I like you.

이야기 10

나, 너 **좋아해**.

I like you.

뭐? 우린 친구잖아!

What? We're friends, man!

단어

좋아하다
[joahada]
Like

뭐?
[mwo]
What?

우리
[uri]
We

문법

-잖아(요)

이 이야기에서 '-잖아(요)'는 상대방이 알고 있는 내용에 대해 말하기 위해 사용되었어요! (상대방이 알아야 한다고 생각하는 내용을 알려 줄 때 사용하기도 해요! 특히, 자신이 말한 내용의 근거나 이유에 대해 말할 때 사용해요.) '-잖아(요)'는 동사나 형용사와 함께 써요. 비슷한 단어로는 '-거든(요)'가 있어요. '-거든(요)'는 상대방이 모를 것이라고 짐작한 내용에 대해 말할 때 사용해요. 상대방에게 새롭게 알려주는 것이죠!

ex) 나 술 못 마시잖아. 나는 콜라 마실래. (상대방이 알고 있을 때)
다음 주에 예인 선배 생일이잖아. 어떤 선물이 좋을까?
(상대방이 모르고 있을 때)
현진이 저번 주부터 헬스장 다니거든. 살 뺄 거래.
(상대방이 모르고 있을 때)

Q. 너 몰랐어? 민서는 올해 졸업하 **(잖아 / 거든)**.
Q. 내가 저번에 선배한테 고백했 **(잖아 / 거든)**. 근데 차였어.

정답 잖아. 거든

확장문

요즘 좋아하는 사람이 있는데,
그 사람이 **눈치**를 못 채. 어떡하지?

그럼 **용기내서 고백**해 봐!

나, 너 좋아해.

뭐? 우린 친구잖아!

오늘이 무슨 날이게?

오늘... 4월 1일?
아... 설마!

만우절 **기념 장난** 한 번 쳐봤어!

뭐야, **재미없어**!

단어

요즘 [yojeum]	These days
눈치채다 [nunchichaeda]	Notice
용기 [yonggi]	Courage
고백 [gobaek]	Confess
기념 [ginyeom]	Celebrate
장난 [jangnan]	Joke
재미없다 [jaemieopda]	Not fun

꿀팁

Q. 만우절은 고백하는 날이 아니야!!

A. 매년 4월 1일은 만우절이야. 장난, 거짓말 등을 통해 재미있게 즐기는 날이지. 그런데, 장난과 거짓말 뒤에 숨어서 본인의 진심을 고백하는 사람이 있어…! 재미도, 감동도 없는 상황이 이어지다가 좋아하는 사람과 멀어지는 경우도 종종 있지. 좋아하는 사람을 잃고 싶지 않다면, 만우절보다는 다른 날에 좋아하는 마음을 전해보는 건 어떨까?

응용문

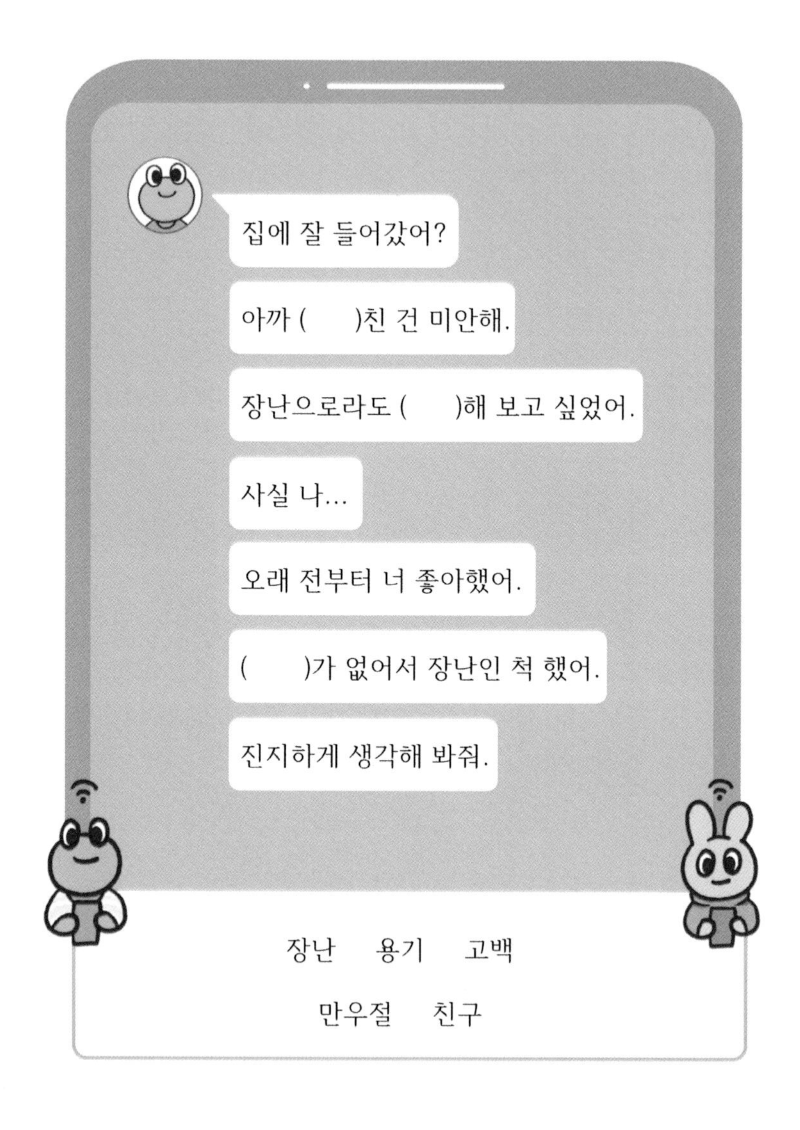
집에 잘 들어갔어?
아까 (   )친 건 미안해.
장난으로라도 (   )해 보고 싶었어.
사실 나...
오래 전부터 너 좋아했어.
(   )가 없어서 장난인 척 했어.
진지하게 생각해 봐줘.
장난 용기 고백
만우절 친구

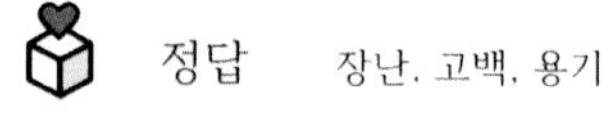
정답 장난, 고백, 용기

EP 11

여자친구랑 며칠 됐어?

How many days have you dated your girlfriend?

이야기 11

너 **여자친구**랑 며칠 됐어?

How many days have you dated your girlfriend?

모레 100일이야.

The day after tomorrow is our 100th day anniversary.

단어

여자친구
[yeojachingu]
Girlfriend

모레
[more]
The day after tomorrow

일
[il]
Day

문법

며칠 vs *몇일

학생들이 자주 헷갈리는 '며칠'과 '몇일'! 날짜를 물을 때, '몇 월'이라 적어 헷갈리기 쉬운데요! '며칠'이 맞는 표현이에요.
한국어는 받침에 'ㄱ, ㄴ, ㄷ, ㄹ, ㅁ, ㅂ, ㅇ'만 발음된다는 규칙이 있어요. 여기 7개의 자음에 없는 'ㅅ, ㅈ, ㅊ'이 받침으로 오면, 'ㄷ'으로 소리가 나요! '몇 일'은 'ㅊ'받침이라, 'ㄷ'으로 소리가 나서 [며딜/며닐]이라 발음이 되어야 해요. 하지만, '며칠' 은 [며칠]로 발음되어서 '며칠'로 적어야 해요.

* '월'과 '일'을 물어볼 때는 '몇'을 사용하고, '요일'을 물어볼 때는
* '무슨'을 사용해야 해요!
  → 오늘 몇 월, 며칠, 무슨 요일이야?
  ↳ 오늘은 4월 26일 금요일이야.

Q. 오늘 (**몇** / **무슨**) 요일이야?
Q. 너 유학을 (**몇** / **무슨**) 월에 간다고 했지?

정답 무슨, 몇

확장문

벌써 12월이네...

그러게 1년 참 **빠르다**.

이번 크리스마스에 약속있어?

나야 **당연히** 여자친구랑 **보내야지**.

맞다. 너 커플이지.
여자친구랑 며칠 됐어?

이번 크리스마스가 100일이야!

부러우면 **지는** 건데 부럽네.

여소라도 시켜줘?

단어

벌써 [beolsseo]	Already
빠르다 [ppareuda]	Fast
당연히 [dangyeonhi]	Of course
보내다 [bonaeda]	Spend (time)
지다 [jida]	Lose
여소 [yeoso]	Set someone up with a woman

꿀팁

Q. 크리스마스에 어디 가지?

A. 매년 전국 각지에서는 크리스마스를 맞이하여 축제를 열어! 그중에서도 추천하는 크리스마스 축제는 바로 "롯데월드 미라클 윈터"야. 한 편의 동화 같은 크리스마스를 원한다면 가보면 좋을 것 같아. 또 부산에서 열리는 "광복로 겨울빛 트리 축제"가 있어. 빛나는 트리를 보며 크리스마스 분위기를 느끼고 싶다면 추천할게! 마지막 추천 축제는 광화문에서 열리는 "서울 빛초롱 축제"야 광화문 마켓과 푸드트럭, 예쁜 트리와 조형물 등 연말 분위기를 물씬 느낄 수 있는 축제기 때문에 꼭 한 번 가보는 걸 추천해! 추천한 재미있는 크리스마스 축제를 통해 따뜻하고 행복한 연말 보내기를 바랄게!

응용문

혹시, 너 남자친구 생겼어
헐… 어떻게 알았어?
어쩐지 요즘 행복해 보이더라~
티 났나..?
한창 좋을 때라…
남자친구랑 (   )됐어?
(   ) 100(   )이야!
벌써 모레 당연히
며칠 일

정답 며칠, 벌써, 일

EP
12

너 어제 달렸어?

Did you drink a lot?

이야기 12

너 어제 달렸어?

Did you drink a lot yesterday?

응… 새벽 4시까지 달렸더니,
죽을 것 같아.

Yeah... I drank until 4 a.m. and
I think I'm going to die.

단어

어제
[eoje]
Yesterday

달리다 (밤새다)
[dallida]
Run (Drink a lot)

새벽
[saebyeok]
Dawn

-까지
[kkaji]
Untill

문법

-더니

'-더니'는 자신이 듣거나 경험한 내용이 어떠한 사실의 이유나 원인, 조건이 된다는 것을 나타내요! 주어에 자신이 올 경우 '-었더니'를 쓰고, '나' 이외의 사람이 올 경우 '-더니'를 써요. 의미를 강조하기 위해서 '-더니마는', '-더니만'을 사용하기도 해요.

ex) 아까 급하게 먹었더니 체했나 봐. (1인칭)
너 어제 늦게 자더니 지각했구나! (2인칭)
저 사람 말을 잘한다 했더니 한국어문학과 학생이었네. (3인칭)

Q. 시험 기간에 놀 (**-었더니 / -더니**), 시험 망쳤구나?
Q. 어제 잠을 한 시간도 못 자 (**-었더니 / -더니**) 너무 피곤해요.
Q. 요즘 공부 열심히 하 (**-었더니 / -더니**) 만 점 받았네! 축하해~

정답 -었더니 / -었더니 / -더니

확장문

괜찮아? 너 **표정**이 안 좋아 **보여**.

아, 어제 술을 마셨더니,
속이 좀 안 좋네.

너 어제 달렸어?

응… 새벽 4시까지 달렸더니,
죽을 것 같아.

아이고. **해장**은 했어?

아니 아직. 해장하러 갈까?
나 지금 해장이 완전 필요해.

학교 앞에 **국밥** 집이 생겼다는데,
한번 가볼까?

좋아! 역시 해장은 국밥이지~

단어

표정 [pyojeong]	Facial expression
보이다 [boida]	Look
속이 안 좋다 [sogi an jota]	Feel sick
아이고 [aigo]	Oh My Goodness
해장 [haejang]	Hangover cure
아직 [ajik]	Yet
필요하다 [piryohada]	Need
국밥 [gukbap]	Gukbap (hot soup with rice)

꿀팁

Q. 해장에는 뜨끈뜨끈 국물이 최고야

A. 한국에서는 술을 많이 마신 후에, 뜨끈한 국물로 해장을 하는 문화가 있어. 주로 국밥을 많이 먹는데, 그 종류에는 콩나물국밥, 돼지국밥, 순대국밥 등이 있어. 국과 밥을 같이 먹음으로써 해장과 든든함을 챙기는 일석이조 해장법이야!

응용문

아, 어제 달렸더니,
(　　)이 좀 안 좋네.
(　　　)은 했어?
아니, (　　) 안 했어.
어제 해놓은 콩나물국 있는데,
그것 좀 줄까?
속이 안 좋아서 그런지 아무것도 안 땡겨.
누워서 쉬는 거 어때?
아직　해장　새벽
표정　속

정답　속, 해장, 아직

EP 13

오늘 밥약 있어?

Do you have a dinner schedule?

이야기 13

오늘 **밥약** 있어?

Do you have a dinner schedule?

응, 나 **아는 선배랑 같이** 밥 먹기로 했어!

Yes, I going to have a meal with a senior I know.

단어

밥약
[babyak]
Dinner schedule

알다
[alda]
Know

-랑
[rang]
With

같이
[gachi]
Together

문법

-기로 하다

'-기로 하다'는 어떤 일을 할 것을 결심하거나 약속함을 나타내요! 동사나 형용사와 함께 쓰여요! '-기로 하다'에서 '하다'의 자리에는 '결심하다'와 '약속하다'가 바꾸어 나올 수 있어요. '결심하다'는 할 일에 대해 스스로 '어떻게 해야지!'하고 마음을 굳게 정했을 때 사용해요. '약속하다'는 다른 사람과 할 일에 대해 '어떻게 하자!'하고 미리 정했을 때 사용해요!

ex) 이따가 친구 만나기로 했어.
건강을 위해 술을 끊기로 했어.

Q. '했어' 대신에 넣을 수 있는 단어에 동그라미를 쳐 보세요!

- 나는 영어 공부를 열심히 하기로 했어. **결심했어 / 약속했어**
- 수경이는 가족이랑 제주도에 가기로 했어. **결심했어 / 약속했어**
- 카페에서 친구와 소설 과제를 하기로 했어. **결심했어 / 약속했어**

정답 결심했어, 약속했어, 약속했어

확장문

너 오늘 밥약 있어?

헉, 나 오늘 민서 선배랑 같이
밥 먹기로 했어!

대박, 너 민서 선배랑 어떻게 알게 된 거야?

나 **복전** 수업에서 **만났어**!

좋겠다. 그 선배 엄청 **다정하고**, 멋지잖아

너도 선배한테 **연락해** 봐!
아마 좋아하실 거야.

정말? **불편해**하시진 않겠지?

당연하지! 먼저 만나자고 하실걸?

단어

만나다 [mannada]	Meet
대박 [daebak]	Awesome
복전 [bokjeon]	Double major
다정하다 [dajeonghada]	Kind
연락하다 [yeollakada]	Contact
아마 [ama]	Probably
불편한 [bulpyeonhan]	Uncomfortable

꿀팁

Q. 새내기라면 "밥약" 한 번쯤은 잡아봐!

A. 밥약이라는 단어를 들으면 Rice medicine을 떠올리거나, 밥이랑 약이 무슨 연관성이 있는지 궁금했던 적이 있었을 거야. 밥약은 밥 약속의 줄임말로 선배와 후배가 서로 친해지기 위해서 선배가 밥을 사주거나, 식사 약속을 잡는 것을 의미해!
새내기라면, 밥약을 통해서 선배와 친해지는 기회를 잡아보는 게 어때?!

응용문

정답 밥약, 만났어, 친해지면

EP 14

나랑 밥 먹으러 갈래?

Do you want to go out
to eat with me?

이야기 14

나랑 **밥 먹으러** 갈래?

Do you want to go out to eat with me?

그래 **좋아**!

Okay, good!

단어

밥
[bap]
Meal

먹다
[meokda]
Eat

좋다
[jota]
Okay

문법

-(으)러

'-(으)러'는 어느 곳으로 가거나, 오는 동작의 목적을 나타내요!
앞에 오는 동사의 받침이 있으면 '-으러'! 받침이 없으면 '-러'라고 사용해요.
비슷한 단어로는 '-(으)려고'가 있어요! '-(으)려고'는 더 다양한 행위의 목적을 나타낼 때 쓰여요. '-(으)러'는 주로 '장소로 이동'하는 목적을 나타낼 때 쓰여요!

ex) 수업 끝나고, 나랑 놀러 갈래? (받침 있을 때)
예인이는 공부하러 도서관에 갔다. (받침 없을 때)
점심을 먹으러 편의점에 가요. (이동의 목적)
점심을 먹으려고 친구랑 만났어요. (행위의 목적)

Q. 공원으로 자전거 타 (**-으러 / -러**) 갈래?
Q. 맛있는 거 먹 (**-으러 / -러**) 점심도 굶었어요.

정답 -러, -으러

확장문

강의 끝나고, 나랑 같이 밥 먹으러 갈래?

그래 좋아! 뭐 먹으러 갈까?

학식 먹을까?

나 어제도 **학식 먹었어**.

음, 그럼 학교 **앞 분식점**은 어때?

거기 맛있어? 나 **한 번도** 안 가봤어.

진짜 맛있어!
이번에 떡볶이 **신메뉴 나왔다던데**, 가볼래?

정말? 좋아!
한번 **도전해봐야겠다**.

단어

-도 [do]	Too
학식 [haksik]	School cafeteria
앞 [ap]	The front
분식점 [bunsikjeom]	Snack bar
한 번도 없다 [han beondo eopda]	Never
맛있다 [masitda]	Delicious
신메뉴가 나오다 [sinmenyuga naoda]	New menu
도전하다 [dojeonhada]	Try

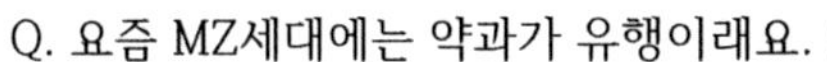
Q. 요즘 MZ세대에는 약과가 유행이래요.

A. 최근 인절미, 흑임자 등 할매 입맛이 유행하면서 약과는 인기 디저트가 되었어. 그 결과, 약과 음료, 약과 쿠키 등 여러 가지 신메뉴가 출시되고 있지! 한국의 전통 디저트인 약과의 변신이 궁금하다면, 한 번 도전해봐! :)

응용문

* 아샷추: 아이스티에 에스프레소 샷을 추가한 음료

정답 분식점, 신메뉴, 맛있어

EP
15

두 정거장 남았어.

I have two stops left.

이야기 15

얼마나 걸려?
나 **배고파서 기절할** 거 같아.

How long will it take? I'm starving and about to pass out.

나 두 **정거장 남았어**.

I have two stops left.

단어

배고프다
[baegopeuda]
Hungry

기절하다
[gijeolgada]
Pass out

정거장
[jeonggeojang]
Stop

남다
[namda]
Left

문법

-는 것 같다

-는 것 같다'는 주로 막연하게 생각하거나, 자기 생각이라는 것을 전제로 추측함을 나타내요! 그래서 '왠지'라는 부사와 함께 쓰일 수 있어요.
(* '왠지'는 '왜인지'가 줄어든 말로, '왜 그런지 모르게' 라는 뜻이에요.)

ex) 밖에 너무 추울 것 같다.
왠지 저 선배가 너를 좋아하는 것 같아. 비슷한 단어로는 '-을 것이다'가 있어요. 앞에 오는 동사나 형용사의 받침이 있으면, '-을 것이다'!
받침이 없으면, '-ㄹ 것이다'를 사용해요! 친구한테 말할 때는 '-을 거야',
'-ㄹ거야'로 바꾸어 주면되겠죠?

Q. 나는 마라탕 먹 (**-을 거야 / -ㄹ 거야**) (먹다)
Q. 다음 주까지 과제를 끝내 (**-을 거야 / -ㄹ 거야**) (끝내다)

정답 -을 거야, -ㄹ 거야

확장문

얼마나 걸려?
나 배고파서 기절할 거 같아.

나 두 정거장 남았어.
내가 **늦었으니까** 점심 **쏠게**.

앗싸! **비싼** 거 먹어야지~

먹고 싶은 음식 있어?

음, 오늘은 마라샹궈 **땡긴다**!

매운 거 잘 먹어?
근처에 **줄 서서** 먹는 마라샹궈 **맛집** 있어!

너무 좋지. 꿔바로우도 시키자!

좋다. 나 이제 내린다! 조금만 기다려.

단어

늦다 [neutda]	Late
내가 쏠게 [naega ssolge]	It's on me
비싸다 [bissada]	Expensive
땡기다 [ttaenggida]	Want
맵다 [maepta]	Spicy
근처 [geuncheo]	Nearby
맛집 [matchip]	Popular restaurant
줄서다 [julseoda]	Form a line / Be in line

꿀팁

Q. 탕!탕!탕! 오늘은 제가 쏘겠습니다!

A. "쏘다"는 보통 "총을 쏜다"라는 의미로 사용이 되는데, "남에게 음식이나 물건 등을 모두 결제한다", 즉 "한턱(을) 쏘다"라는 의미로도 사용이 되고 있어. 기분이 좋다면, "오늘은 내가 쏠게!"라는 말을 해보는 것도 좋은 사용법이야!

응용문

 정답 정거장, 근처에, 배고파

EP 16

나 오늘 머리하러 가.

I'm going to get my hair done today.

이야기 16

오늘 알바 **끝나고** 뭐해?

What are you doing after your part-time job today?

나 오늘 **머리하러** 가.

I'm going to get my hair done today.

단어

오늘
[oneul]
Today

알바
[alba]
Part time job

끝나다
[kkeunnada]
Finish

머리하러 가다
(= 미용실 가다)
[meorigareo gada]
Do one's hair

문법

-고

'-고'는 앞의 내용과 뒤의 내용이 시간의 순서대로 일어남을 나타내요! 비슷한 단어로는 '-고서'와 '-고 나서'가 있어요. '-고서'를 사용하면, '-고'보다 강조하는 느낌이 들어요! '-고 나서'는 앞의 내용이 끝나고 나서, 뒤의 내용이 이어진다는 것을 강조할 때 사용해요.
대화할 때는 '고'의 발음이 '구'로 바꾸어 말하기도 해요!

ex) 여자친구는 선물을 받고 좋아했다.
밥 먹구 공부하자! / 시험 공부하구 놀아야지~

Q. 빈칸에 어떤 동사나, 형용사가 와야 할까요? 시간의 순서대로 연결해 보세요!

- ___고, ___어. **① 밥을 먹 ② 배가 불렀**
- ___고, ___어. **① 전화를 받으러 나갔 ② 전화벨이 울리**

정답 ① ② / ② ①

확장문

오늘 알바 끝나고 뭐해?

나 오늘 머리하러 가!

오! 뭐 하려고?

파마가 안 어울리는 것 같아서,
매직 각이야.

너랑 잘 **어울리겠다**!
미용실 어디로 갈 거야?

잠실에 **자주** 가는 **미용실** 있어.
나 거기 **단골**이거든.

나도 매직해야 하는데! 거기 괜찮아?

응! **미용사**분이 엄청 친절하시고,
실력도 좋으셔!

단어

파마 [pama]	Perm
매직 [maejik]	Straight perm
어울리다 [eoullida]	Match
미용실 [miyongsil]	Hair salon
맨날 [maennal]	Often
단골 [dangol]	Regular
미용사 [miyongsa]	Hairdrasser
실력 [sillyeok]	Skill

꿀팁

Q. 이것만 알면 너도 인싸 "각"이야~

A. 한국 대학생들은 "재수강 각이야", "휴학 각이야"처럼 어떤 행동에 대한 확신의 의미를 더하기 위해 "각"이라는 의존명사를 자주 사용해! 많은 대학생들이 수시로 사용하는 용어이니, 알아두면 너도 인싸 대학생이 될 수 있어!

응용문

 정답 미용실, 파마, 알바

EP
17

여기 현금결제 돼요?

Can I pay in cash?

이야기 17

고객님 지금 **결제**하시겠어요?

Would you like to pay now?

네. 여기 **현금**결제 **가능해요**?

Yes. Can I pay in cash?

단어

고객님 [gogaengnim]	Customer
결제 [gyeolje]	Pay
현금 [hyeongeum]	Cash
가능하다 [ganeunghada]	Possible

문법

님

명사의 뒤에 붙는 '님'은 그 사람을 높여서 부르는 말이에요. 비슷한 단어로는 '씨'가 있어요. 하지만, '님'은 '씨'보다 높임을 나타내요. 특히, 자신보다 나이가 많은 사람에게는 '님'을 붙여서 말해야 해요! 한국 대학생들은 어색한 상황이거나, 서로 잘 모르는 상황일 때도 자주 사용해요!
특히, '팀플(조별 과제)'을 하거나, 인사해야 할 때 사용한답니다!

Q. (병원에서) 김현진 (**님 / 씨**) 1번 진료실로 들어오세요.
Q. 수경 (**님 / 씨**)! 오늘 정리한 내용 단톡으로 보내줘.
Q. 딸기주스 주문하신 예인 (**님 / 씨**), 음료 나왔습니다.
Q. 민서 (**님 / 씨**) 은/는 학과가 어떻게 되세요?

정답 님, 씨, 님, 님

확장문

어서오세요. 까꼬 미용실입니다.
예약하신 성함을 알려주세요.

네. 구리로 예약했습니다.

구리 고객님 **원하시는** 스타일이 있나요?

지금보다 더 **짧은 단발**로 **자르고** 싶어요.

원하시는 머리 **길이**도 있나요?

머리 길이는 턱 **밑**까지 잘라주세요.

고객님 지금 결제하시겠어요?

네 현금결제 가능해요?

단어

예약하다 [yetakada]	Make a reservation
성함 [seongham]	Name
원하다 [wonhada]	Want
짧다 [jjalda]	Short
단발 [danbal]	Bobbed hair
자르다 [jareuda]	Cut
길이 [giri]	Length
밑 [mit]	Under

꿀팁

Q. 모바일로 결제하면, 할인에 적립까지??

A. 한국에 있는 가게를 가보면, 모바일 결제 시 할인 혹은 적립이 된다는 문구를 본 적이 있을 거야! 삼성페이, 네이버페이, 카카오페이 등 여러 모바일 결세 시스템을 이용하면, 할인이나 적립과 같은 혜택을 받을 수 있으니 꼭 확인해 봐!

응용문

정답 예약, 원하시는, 현금결제

EP
18

와이파이 비번이 뭐예요?

What's the Wi-Fi password?

이야기 18

사장님,
혹시 와이파이 **비번**이 뭐예요?

Owner, Perhaps what's the Wi-Fi password?

영수증 아래에 적혀 있습니다.

It's written below the receipt.

단어

사장님
[sajangnim]
Owner

비번
[bibeon]
Password

영수증
[yeongsujeung]
Receipt

문법

-습니다

'-습니다'는 공식적인 자리에서 말하는 사람이 듣는 사람에게 예의 바르게 설명하여 알릴 때 사용해요. 앞에 오는 동사나 형용사의 받침이 있으면, '-습니다!' 받침이 없으면 '-ㅂ니다'라고 해요!
만약, 앞에 오는 단어가 '명사'일 경우, '-입니다'를 사용해요.

ex) (동사) 오늘은 수업을 일찍 마칩니다. (마치다)
(형용사) 저는 로맨스 영화를 좋아합니다.
(형용사) 저는 로맨스 영화가 좋습니다. (좋아하다)
(명사) 이건 제가 쓴 글입니다. (글)

Q. 저는 학교에 갈 때, 노래를 듣 (**-습니다 / -ㅂ니다 / 입니다**).
Q. 아직 다 완성이 안 되어서 비밀 (**-습니다 / -ㅂ니다 / 입니다**).
Q. 기분이 안 좋을 때는 춤을 추 (**-습니다 / -ㅂ니다 / 입니다**).

정답 -습니다, 입니다, -ㅂ니다

확장문

어서오세요. 손님 주문 도와드리겠습니다.

네. **따뜻한** 우유 한 **잔**이랑
케이크 한 **조각** 주세요.

케이크는 딸기와 초코 중
어떤 걸로 드릴까요?

초코케이크로 주세요.
그리고 주스 한 **병**도 주세요.

네. **포장**하시나요?
아니면 드시고 가시나요?

가게에서 먹고 갈게요.
혹시 와이파이 비번이 뭐예요?

영수증 아래에 적혀 있습니다.

감사합니다.

단어

어서오세요 [eoseooseyo]	Welcome
손님 [sonnim]	Customer
~을 주문하다 [jumunhada]	Order
도와드리다 [dowadeurida]	Help
따뜻하다 [ttatteutada]	Warm
조각, 잔, 병 [jogak, jan, byeong]	Piece, Glass, Bottle
포장 [pojang]	Packaging
가게 [gage]	Store

꿀팁

Q. 한국은 와이파이 강국!?

A. 한국에서 길을 걷다 보면, 갑자기 와이파이에 연결되었던 경험 있지? 한국에서 와이파이는 속도뿐만 아니라 어디서든 사용할 수 있다는 게 장점이야. 심지어 지하철, 버스에서도 와이파이가 있기 때문에 대중교통을 오래 이용하는 사람에게 혜택이 주어진다고 할 수 있지!

응용문

정답 주문, 따뜻한, 조각

EP
19

여기 전세 냈나보다.

Did they charter it?

이야기 19

저 사람들은 아까부터
계속 시끄럽네.

They've been noisy since a while ago.

그러게. 여기 **전세** 냈나보다.

I know. Did they charter it?

단어

아까
[akka]
A while ago

-부터
[buteo]
Since

시끄럽다
[sikkeureopda]
Noisy

전세
[jeonse]
Charter

문법

-나 보다

'-나/은가 보다'는 어떠한 사실에 대해 인정하고, 객관적(客观的)으로 생각하는 것을 나타내요!
객관적으로 생각하는 것을 나타내므로 주어 자리에 '나, 우리' 등이 나오면 어색해요. 단, 자신에 대해 몰랐던 것을 이야기하는 경우에는 어색하지 않아요! 앞에 오는 단어가 동사면 '-나 보다'를 사용해요. 비슷한 표현으로는 '-은/는가 보다'가 있어요. 앞에 오는 형용사의 받침이 있으면, '-은가 보다'! 받침이 없으면 '-ㄴ가 보다'를 사용해요!

Q. 퇴근 시간이라 길이 막히 (**-은가 보다 / -ㄴ가 보다 / -나 보다**)
Q. 매운 떡볶이를 좋아하 (**-은가 보다 / -ㄴ가 보다 / -나 보다**)
Q. 수경이와 자연이가 친하 (**-은가 보다 / -ㄴ가 보다 / -나 보다**)

정답 -나 보다, -나 보다, -ㄴ가 보다

확장문

왠지 집중이 잘 안되네.

저 사람들 때문인가?
아까부터 계속 시끄러워.

그러게, 여기 전세 냈나.

여기는 **토론하는** 곳이 아닌데...

가서 직원한테 얘기할까?

그래. 얘기하러 가는 김에
나가서 **바람 쐬자**.

난방하느라 **환기**가 안 돼서 그런가 봐.
좀 **답답하네**

그런 것 같아. 너무 **후덥지근해**.

단어

왠지
[waenji]
Somehow

집중하다
[jipjunghada]
Concentrate

토론하다
[toronhada]
Discuss

바람 쐬다
[baram ssoeda]
Get some fresh air

난방
[nanbang]
Heating

환기
[hwangi]
Ventilation

답답하다
[dapdapada]
Stuffy

후덥지근하다
[hudeopjigeunhada]
Be stuffyly hot

꿀팁

Q. 돈 안 내고 전세 내기

A. 한국에서 집 구할 때 월세, 전세 등의 단어를 많이 들어봤을 거야. 그런데 "전세(를) 내다."라는 말이 다른 뜻으로도 쓰여. 다른 사람들과 같이 사용하는 공간이니 물품을 본인의 것처럼 쓰면, 너 여기 혹은 이거 전세 냈어? 라고 말하곤 해!

응용문

 정답 집중, 답답, 전세

EP
20

주량이 어떻게 돼?

How much can you drink?

이야기 20

혹시 **주량**이 어떻게 돼?

How much can you drink?

취한 적이 없어서 잘 **모르겠어요**.

I don't know because I've never been drunk.

단어

주량
[juryang]
Drinking capacity

취하다
[chwihada]
Be drunk

-적
[jeok]
Experience

모르다
[moreuda]
Do not know

문법

되어

학생들이 자주 헷갈리는 '돼'와 '되'! 비슷하게 생겨서 헷갈리기 쉬운데요! '돼'는 '되어'가 줄어든 말이에요! 헷갈리는 표현에 '되어'를 넣어보고 말이 된다면 '돼'를, 어딘가 어색하다면 '되'가 맞아요! 그래서 '안 되어'는 '안 돼'로, '안 되었다'는 '안 됐다', '안 되어서'는 '안 돼서'로 써야 하는 거죠!
(그래도 헷갈린다면 '돼' 자리에 '해'를, '되' 자리에 '하'를 넣어서 발음해 보세요!)

ex) 이렇게 하면 (되/돼)잖아 → 이렇게 하면 되어잖아 (X) : 되
예의 없게 말하면 안 (되/돼)요. → 예의 없게 말하면 안 되어요. (O) : 돼

Q. '되/돼' 중 맞는 표현에 동그라미를 쳐 보세요!
- 드디어 시험에 합격이 (**되 / 돼**) 다.
- 수업 시간에 시끄럽게 하면 안 (**되 / 돼**).

정답 돼, 돼

확장문

안녕, 난 17학번이야.
처음 보는 얼굴이네.

아, 저는 23학번 토리입니다.
학과 행사나 **뒤풀이** 잘 **참여** 안 해서,
모르실 수도 있어요.

그래. 술 주량이 어떻게 돼?

소주는 못 마시고,
맥주는 한 병 정도 마십니다.

소주를 **아예** 못 마시니?
소맥 말아주려고 했는데.

소주는 냄새만 맡아도 취합니다.

그럼 좋아하는 **안주**는 있어?

땅콩 좋아합니다.

단어

처음 [cheoeum]	First
학과 행사 [hakgwa haengsa]	A department event
안주 [anju]	Snacks served with alcoholic beverages
뒤풀이 [dwipuri]	An after party
참여 [chamyeo]	Participation
소맥 [somaek]	A mix of soju and beer
냄새 [naemsae]	Smell
아예 [aye]	Completely

꿀팁

Q. 한국의 술을 소개해보아요!

A. "한국의 술"이라고 하면 어떤 술이 가장 먼저 떠올라? 보통은 "소주"를 가장 먼저 떠올리기 마련이야. 그런데 소주 말고, 한국의 전통을 담고 있는 술이 있어. 바로 막걸리가 그 주인공이야!
여러 가지 효능을 지닌 막걸리로 오늘 하루 달려볼래?

응용문

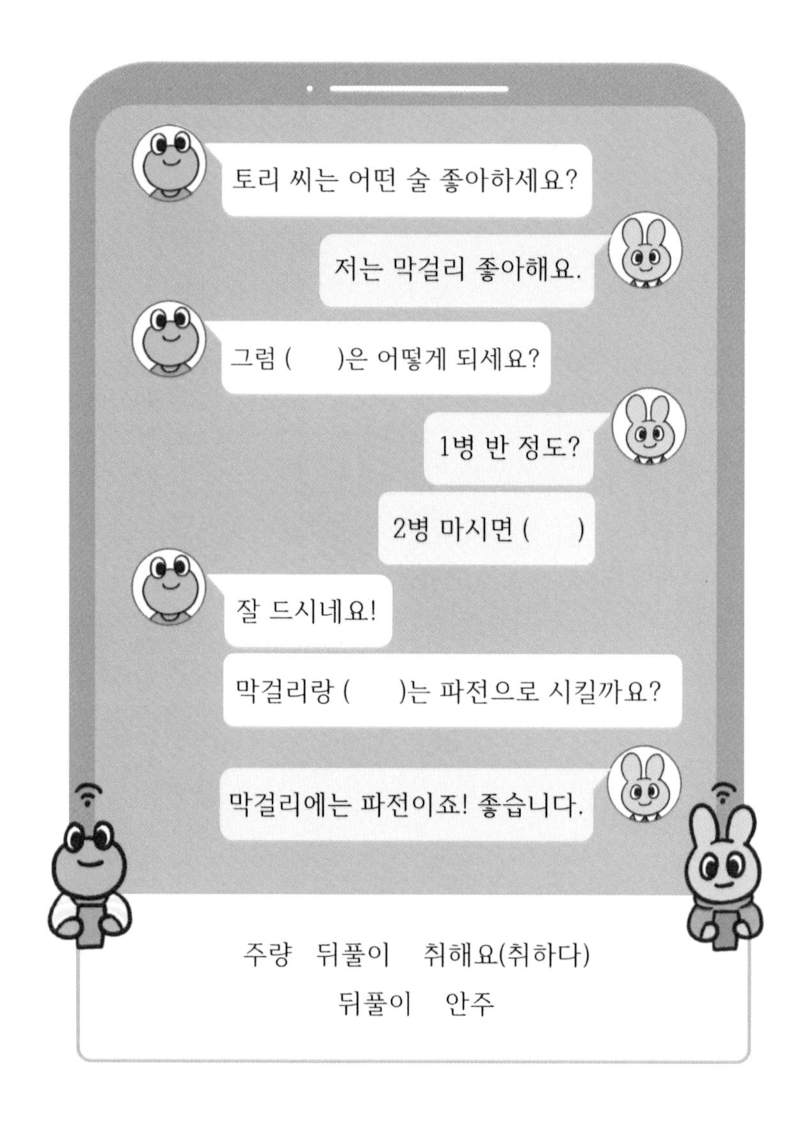

 정답　주량, 취해요, 안주

여기 저기 써먹는

단어 부록

단어

☐	MBTI 유형	MBTI	☐	공평하다	Fair
☐	가게	Store	☐	과대평가	Overrate
☐	가능하다	Possible	☐	과목	Subject
☐	가방	Bag	☐	과탑	The most honorable student of major
☐	감성적	Sensitive	☐	교훈	Lesson
☐	같다	I think	☐	국밥	Gukbap (hot soup with rice)
☐	같이	Together	☐	굳이	Obstinately
☐	개	Unit / Piece	☐	그니까	That's right.
☐	걱정하다	Worry	☐	그러면	Then
☐	걸리다	Take	☐	근데	By the way
☐	결제	Pay	☐	근처	Nearby
☐	경험	Experience	☐	금방	Soon
☐	고객님	Customer	☐	기념	Celebrate
☐	고민이다	Concerned	☐	기절하다	Pass out
☐	고백	Confess	☐	긴장하다	be nervous
☐	공강	1.Day off (in college) 2.Gapbetween classes	☐	길이	Length
☐	공지사항	Notice	☐	까지	Untill

☐	Korean	English
☐	끝나다	Finish
☐	나(이)	as many as
☐	난방	Heating
☐	남다	Be left
☐	남다	Left
☐	남소	Set someone up with a man
☐	내가 쏠게	It's on me
☐	내일	Tomorrow
☐	냄새	Smell
☐	놀다	Play
☐	눈치채다	Notice, Sense
☐	늦다	Late
☐	다정하다	Friendly / Kind
☐	단골	Regular
☐	단발	Bobbed hair
☐	단톡	Group chat
☐	달리다	Run (Drink a lot)

☐	Korean	English
☐	답답하다	Stuffy
☐	당연하지	Of course
☐	당연히	Of course
☐	대박	Awesome
☐	대본	Transcript
☐	도~	Too
☐	도와드리다	Help
☐	도전하다	Try
☐	동아리	Club
☐	동지	Companion
☐	뒤풀이	An after party
☐	따뜻하다	Warm
☐	땡기다	Want
☐	랑~	With
☐	래(이)	They say
☐	마찬가지	Neither
☐	마침	Just

☐	맛집	Meet	☐	무모한	Reckless
☐	만우절	April Fool's Day	☐	무조건	Definitely
☐	매직	Speak without honorific	☐	뭐 했어?	What did you do?
☐	맛있다	Delicious	☐	뭐?	What?
☐	맛집	Popular restaurant	☐	뭐야?	What?
☐	망치다	Mess up	☐	미용사	Hairdresser
☐	매운	Spicy	☐	미용실	Hair salon
☐	매직	Straight perm	☐	밑	Under
☐	머리하다	Do one's hair	☐	바람쐬다	Get some fresh air
☐	먹다	Eat	☐	발표	Presentation
☐	며칠	1. Several days 2. date	☐	밥약	dinner(or lunch, bf) schedule
☐	몇	What	☐	밥	Meal
☐	모든	All	☐	배고프다	Hungry
☐	모레	The day after tomorrow	☐	벌써	Already
☐	모르다	Do not know	☐	병	Bottle
☐	모이다	Meet	☐	보내다	Send
☐	무뚝뚝하다	Brusque	☐	보내다(시간을)	S부터~pend (time)

	Korean	English
☐	보다(시험을)	Take (an exam)
☐	복전 (복수전공)	Double major
☐	부럽다	Envy
☐	부분	Part
☐	부터~	Since
☐	분담	Split, Divide
☐	분식점	Snack bar
☐	불편한	Uncomfortable
☐	비다	Empty
☐	비번	Password
☐	비싼	Expensive
☐	빠르다	Fast
☐	사장님	Owner
☐	새벽	Dawn
☐	선배	Upper classmen
☐	성공하다	Success
☐	성함	Name
☐	소맥	Soju and beer
☐	속 보이다	You are transparent
☐	속이 안 좋다	Feel sick
☐	손님	Customer
☐	수강 신청	Course registeration
☐	수업	Class
☐	수정하다	Correct
☐	시끄럽다	Noisy
☐	신메뉴	New menu
☐	신중하다	Prudence
☐	실력	Skill
☐	실패	Failure
☐	심각하다	Serious
☐	심지어	Even
☐	아까	a (little/short) while ago
☐	아까	a while ago
☐	아마	Probably

	Korean	English
☐	아예	Completely
☐	아이고	Oh My Goodness
☐	아직	Yet
☐	안주	snacks served with alcoholic beverages
☐	알다	Know
☐	알려주다	Let somebody know
☐	알바	Part time job
☐	앗싸	Yay
☐	앞	The front
☐	어떡하지?	What do I do?
☐	어떻게	How
☐	어렵다	Difficult
☐	어울리다	Match, Suit
☐	어제	Yesterday
☐	어쩐지	No wonder
☐	억울하다	Unfair
☐	언제	When

	Korean	English
☐	얼마나	How long
☐	여기저기	Here and there
☐	여소	set someone up with a woman
☐	여자친구	Girlfriend
☐	여행 다니다 (= 여행하다)	Travel
☐	연락하다	Contact
☐	영수증	Receipt
☐	예약하다	Make a reservation / book
☐	오늘	Today
☐	오른쪽	Right
☐	어서오세요	Welcome
☐	왠지	Somehow
☐	요즘	These days
☐	용기	Courage
☐	우리	We
☐	원하다	Want
☐	이번	This

	Korean	English		Korean	English
☐	이성적	Rational	☐	정도	About
☐	이에요	Be	☐	제	My
☐	인형	Doll	☐	조각	Piece
☐	일	Day	☐	좋아	Okay
☐	입다	Wear	☐	좋아하다	Like
☐	자르다	Cut	☐	주량	Drinking capacity
☐	자리	Seat	☐	주문	Order
☐	자주	Often	☐	줄서다	Form a line; Be in line
☐	잔	Glass	☐	지다	Lose
☐	장난	Joke	☐	집중하다	Concentrate
☐	재미없다	Not fun	☐	짓~	Act
☐	재수강	Retake	☐	짧다	Short
☐	저기요	Excuse me	☐	참여	Participation
☐	적~	Experience	☐	처음	First
☐	전세	Charter	☐	처참하다	Horrible
☐	전필 (전공필수)	Mandatory class	☐	출장	Business trip
☐	정거장	Stop	☐	취하다	Be drunk

	Korean	English
□	친구	Friend
□	친해지다(~와)	Get close to (somebody)
□	토론하다	Discuss
□	통학	Commute to school
□	팀플	Team project
□	파마	Perm
□	평소	Usual day
□	포장	Packaging
□	표정	Facial expression
□	피곤해서 죽을 것 같다	What do I do?
□	필요하다	Need
□	하는 김에	While you are at it
□	하루종일	All day
□	학과 행사	A department event
□	학번	Class number (ID number)
□	학식당	School cafeteria
□	한 번도 없다	Never

	Korean	English
□	한복	hanbok (korean traditional clothes)
□	해 보이다~	Look ~
□	해장	Hangover cure
□	헐	OMG / What the...
□	현금	Cash
□	혹시	By any chance
□	환기	Ventilation
□	활동하다	Work / Act / Do
□	후덥지근하다	Be stuffyly hot
□	휴강	Cancel a class
□	휴학하다	Leave of absence
□	힘내다	Cheer up

여기저기 써먹는 일상 한국어(영어ver)

발　행 | 2024년 1월 2일
저　자 | 권자연, 김현진, 조수경, 채예인, 황민서
펴낸이 | 한건희
펴낸곳 | 주식회사 부크크
출판사등록 | 2014.07.15.(제2014-16호)
주　소 | 서울특별시 금천구 가산디지털1로 119 SK트윈타워 A동 305호
전　화 | 1670-8316
이메일 | info@bookk.co.kr

ISBN | 979-11-410-6352-8

www.bookk.co.kr